どうすればいいのかな？

わたなべ しげお　ぶん／おおとも やすお　え

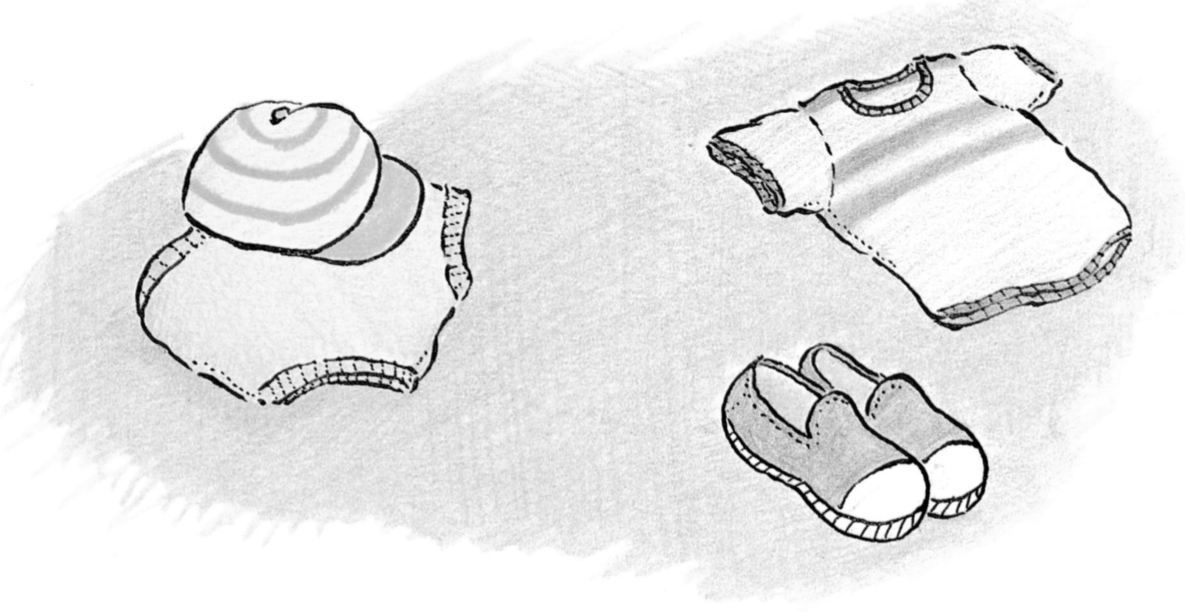

福音館書店

しゃつを　はいたら　どうなる？

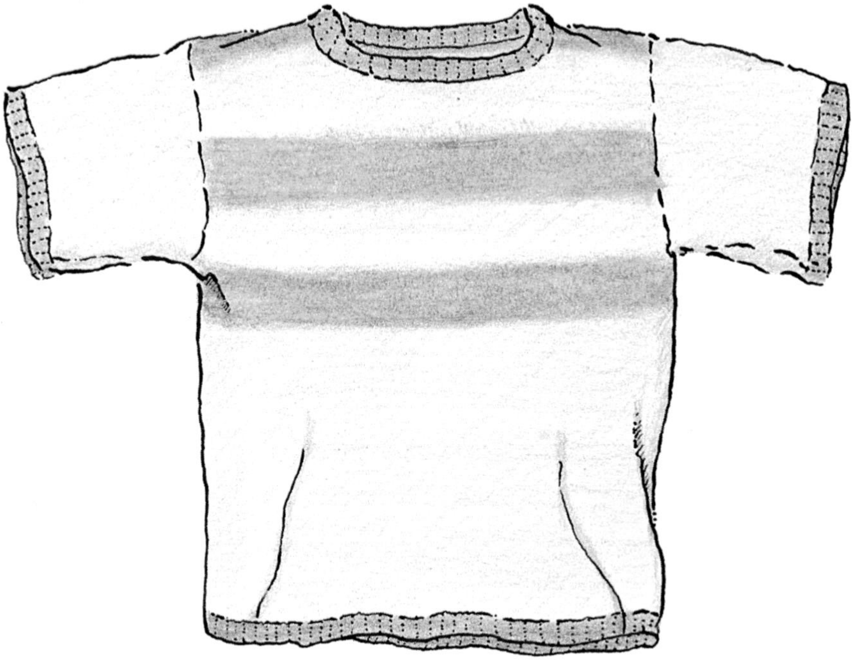

どうすれば　いいのかな？

そうそう、

しゃつは　きるもの。

ぱんつを　きたら　どうなる？

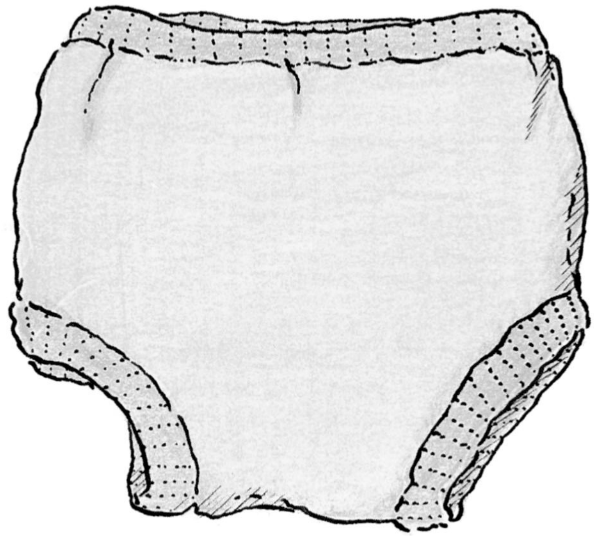

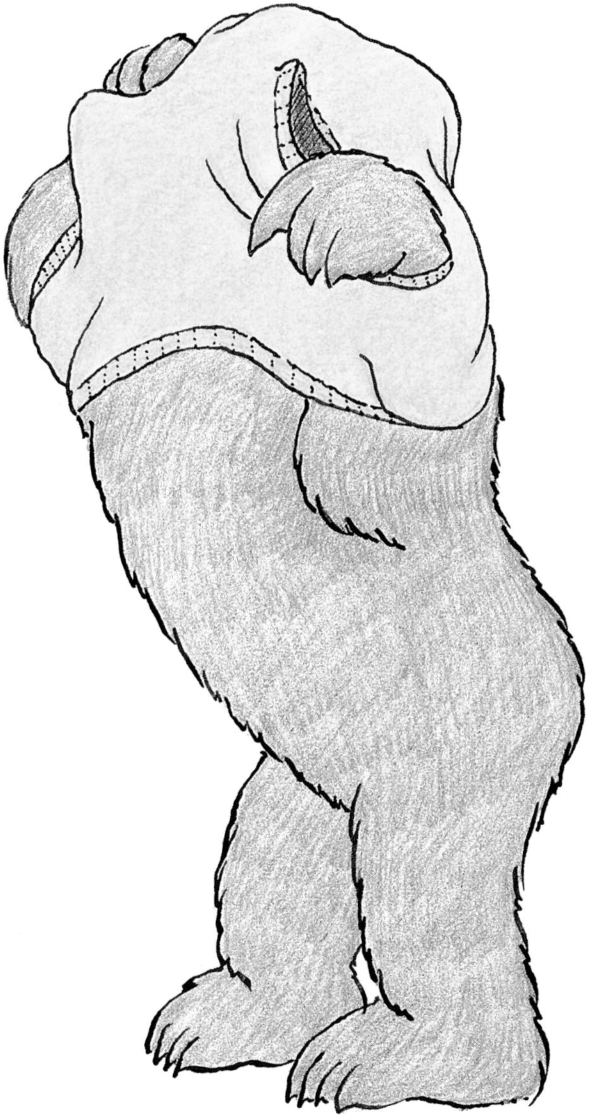

どうすれば　いいのかな？

そうそう、

ぱんつは　はくもの。

ぼうしを　はいたら　どうなる？

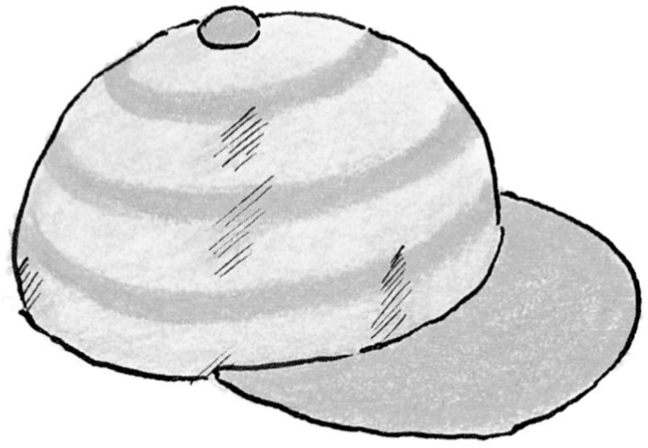

どうすれば　いいのかな？

そうそう、

ぼうしは　かぶるもの。

くつを　かぶったら　どうなる？

どうすれば　いいのかな？

そうそう、

くつは　はくもの。

さあ、

しゃつを　きて、

ぱんつを　はいて、

ぼうしを　かぶって、

くつを　はいて、

いってきまあす。